André-Philippe Côté

De tous les...

LE SOLEIL

filiale de Gesca ltée
925, chemin Saint-Louis
Case postale 1547, Succursale Terminus
Québec (Québec) G1K 7J6

Dépôts légaux : 3e trimestre 2001
Bibliothèque nationale du Québec
Bibliothèque nationale du Canada

Diffusion : Le Soleil et les Éditions Novalis
Distribution : Les Éditions Novalis, C.P. 990
Ville Mont-Royal (Québec) H3P 3M8

ISBN 2-920070-07-X

Autres œuvres d'André-Philippe Côté
Aux éditions Falardeau :
Baptiste le clochard, 1992 (épuisé)
Baptiste et Bali, 1993
Le monde de Baptiste, 1994
Allô Baptiste, 1995

Castello, 1993

La voyante, 1994
scénario André-Philippe Côté
illustrations Jean-François Bergeron

Chez Soulières, Éditeur :
Sacré Baptiste, 1997
Victor et Rivière, 1998
Bon voyage, Baptiste, 1999

Aux Éditions Le Soleil :
De tous les...Côté, 1998
De tous les...Côté, 1999
De tous les...Côté, 2000

Aux éditions du Septentrion :
Les années Bouchard, 2001
Caricatures : André-Philippe Côté
Texte : Michel David
Nouvelle-France La Grande Aventure, 2001
Texte : Louis-Guy Lemieux
Illustrations : André-Philippe Côté

Un sens de l'effet, la rapidité de l'éclair

Tous les matins, dans Le Soleil, les dessins d'André-Philippe Côté constituent un régal. Son clin d'oeil en page une, lequel ramasse en quelques traits mordants ou absurdes une situation d'actualité, déclenche chez de nombreux lecteurs le premier rire de la journée.

Sa caricature en page éditoriale est un peu plus réfléchie mais jamais trop complexe. André-Philippe Côté a le sens du «punch». Il maîtrise bien la technique de l'effet. Il ne ressemble guère à ces caricaturistes anglo-saxons qu'il faut déchiffrer, décrypter tellement longtemps que l'effet surprise s'émousse.

Formé par l'exercice de la bande dessinée, André-Philippe Côté nous livre un dessin clair et très animé, où l'on reconnaît instantanément les personnages publics visés. Même les policiers de la Ville de Québec (qui comptent parmi ses têtes de turc) les identifient facilement.

Quelle qualité principale retient-on chez André-Philippe Côté? Il nous surprend avec la rapidité de l'éclair. Souvent, une formule-choc accompagne le dessin. Autre atout, Côté sait diversifier ses cibles: il parodie volontiers les dirigeants politiques mais adore dessiner les jeunes «punk» avec veste cloutée et coiffure à l'iroquois. Les gens de la rue enrichissent ses portraits d'un brin de sagesse populaire.

Entré par la grande porte comme caricaturiste au Soleil en 1997, André-Philippe Côté a apporté à ce journal et à sa page éditoriale une bouffée d'air frais, la petite note caustique qu'il fallait. Non seulement Côté a-t-il persécuté de ses traits malicieux toute la classe dirigeante du Québec, du palier fédéral et de la scène internationale mais il a su épingler de manière efficace le maire quelque peu impérial de la Ville de Québec, M. Jean-Paul L'Allier, et son ineffable rivale, la tourbillonnante mairesse de Sainte-Foy, Mme Andrée Boucher.

André-Philippe Côté reste l'un des plus directs, des plus intuitifs et des plus irrévérencieux de nos commentateurs politiques. On se réjouit vivement qu'il nous laisse un recueil de ses plus récentes caricatures et du même coup un souvenir indélébile de l'année Chrétien-Day-Bouchard-Landry.

Marc Laurendeau

Marc Laurendeau
journaliste et analyste politique
professeur de journalisme

Le Sommet

CHERS MANIFESTANTS...
ICI LE SOUS-COMMANDANT LANDRY!
CôTÉ 21/3/01

UNE PLACE AU SOMMET DES AMÉRIQUES...
CÔTÉ
6/12/10

LE SOMMET DES AMÉRIQUES À LA RECHERCHE
D'UN COMMANDITAIRE POUR L'EAU DE SOURCE...
CÔTÉ
22/3/01

LA PLACE DU QUÉBEC AU SOMMET DES AMÉRIQUES

ADOPTEZ UN MILITANT ANTIMONDIALISATION!

COURS DE DÉSOBÉISSANCE CIVILE...
TU POURRAIS PAS FAIRE TES DEVOIRS À L'ÉCOLE!
NON À L'IMPÉRIALISME
CÔTÉ 14/9/10

RÉSISTANCE PACIFIQUE...
CHÉRI... ANTOINE S'EST ATTACHÉ À SON LIT!!!
DÉFANSE D'ENTRÉ
CÔTÉ 4/4/01

DOUANES CANADA
OUAIS, ON VIENT D'INTERCEPTER UNE GANG DE CASSEURS!
PORTE # 9
CÔTÉ 9/4/01

CÔTÉ
4/4/01

CÔTÉ
19/4/01

HÉ, POURQUOI T'ES MASQUÉE ?
POLICE
CÔTÉ

LA DOLLARISATION
AVANT, YÉ N'AVAIS PAS OUNE PESO ET YÉ MÉ SENTAIS PAUVRE... MAINTENANT, YÉ NÉ PAS OUNE DOLLAR ET YÉ MÉ SENS PAUVRE ET COLONISÉ !
CÔTÉ 10/4/01

DÉBUT DES FOUILLES...
STIE!
CÔTÉ 12/4/91

OUI, NOS POLICIERS SONT SUPER ÉQUIPÉS... MAIS IL FAUT PRÉVOIR LE PIRE POUR ÉVITER LE PIRE !
N'EMPÊCHE QUE CE SERAIT DU GASPILLAGE SI ÇA NE SERT PAS !
POLICE
POIVRE DE CAYENNE
CÔTÉ 29/3/01

NON À LA ZLEA
CÔTÉ 18/4/01

CÔTÉ 20/4/01

NOUS SOMMES RÉUNIS POUR DISCUTER DE LA LIBRE CIRCULATION DES BIENS ET DES SERVICES!
CÔTÉ 21/4/01

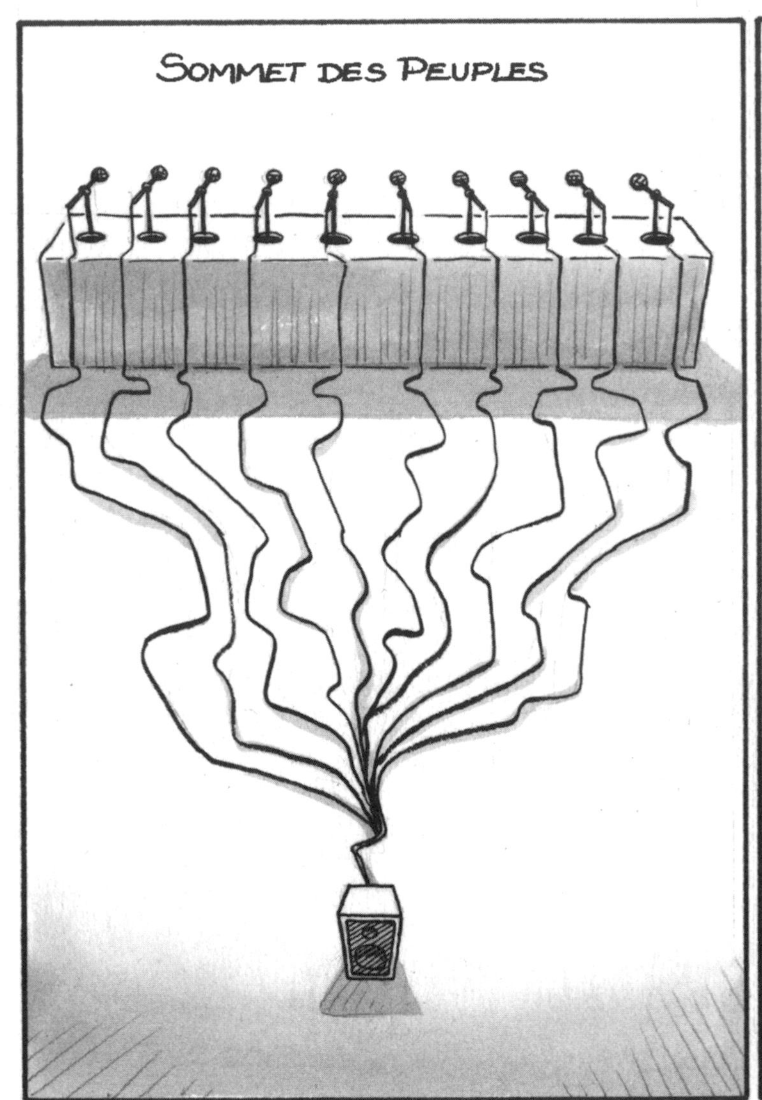
SOMMET DES PEUPLES

SOMMET DES AMÉRIQUES
CÔTÉ
19/4/01

CÔTÉ
2014/01

GRÂCE À LA MONDIALISATION, NOUS ALLONS POUVOIR VENDRE NOS CHAUSSURES AU VENEZUELA!!!

DÉMÉNAGÉ AU VENEZUELA
CÔTÉ 26/3/01

AVEZ-VOUS PEUR DE LA ZLEA?
NON, MOI, J'AI ÉTÉ VACCINÉE!
LES RISQUES SONT PRESQUE NULS SI ON SE LAVE LES MAINS PLUSIEURS FOIS PAR JOUR!
C'EST QUOI LES SYMPTÔMES? J'AI UNE DOULEUR DANS LE COU... J'ME SENS TOUTE CHAUDE!!!
SI LES GENS ÉTAIENT MIEUX INFORMÉS, ILS SAURAIENT QUE LE VIRUS N'EST PAS TRANSMISSIBLE À L'HOMME!
BEN NON, JE SUIS VÉGÉTARIENNE!
JE ME PROTÈGE!
CÔTÉ 18/4/01

LES RELIGIEUSES CONTRE LA MONDIALISATION...

TOUTOU MOLOTOV...

CÔTÉ
23/4/01

PROUT...

STI DE
GANG DE
MALADES!
CÔTÉ
28/4/01

DU SOMMET DES AMÉRIQUES À L'ÉPANDAGE DU PURIN...
BEN COUDONC, ON VA RENTABILISER NOS MASQUES !
CÔTÉ 30/4/01

4 KILOMÈTRES DE CLÔTURES... QU'EST-CE QU'ON VA FAIRE AVEC ÇA?
BEN, ÇA POURRAIT INTÉRESSER UN PROPRIÉTAIRE DE TERRAIN DE GOLF!
CÔTÉ 24/4/01

HAUSSE DE TAXES DE 30% POUR LA NOUVELLE VILLE...
VITE, REMETTEZ LA CLÔTURE!
CÔTÉ 26/4/01

NON, NON...
IL N'Y A PAS DE RETOUR SUR CES BOUTEILLES!
99¢
LOTO
CÔTÉ 25/4/01

JAGGI SINGH QUITTE LE CENTRE DE DÉTENTION...
CÔTÉ 9/5/01

LES GAZ LUI ONT FAIT BEAUCOUP DE BIEN!
SO... SO... SO... SOLIDARITÉ!!! BOUFFONS DU FLIC COMME EN 68!
CÔTÉ 27/4/01

POUSSIÈRE DES GAZ LACRYMOGÈNES DANS SAINT-JEAN BAPTISTE...

SAINTE CHAUSETTE, TON POT A JAMAIS ÉTÉ AUSSI BON!
CÔTÉ 30/4/01

L'UNION EUROPÉENNE EST UNE UNION POLITIQUE BASÉE SUR LE RESPECT DES DROITS DE L'HOMME ET DES DROITS DES TRAVAILLEURS. LA ZLEA EST UNE UNION BASÉE ESSENTIELLEMENT SUR LA LIBERTÉ DES FORCES ÉCONOMIQUES...
BEN COUDONC, TA MÈRE PIS MOI, C'EST UNE UNION EUROPÉENNE!
CÔTÉ 23/4/01

LA NOUVELLE ÉCONOMIE CHINOISE...
Mao
CÔTÉ
13/2/01

VIOLENCE EN CÔTE D'IVOIRE
CÔTÉ
30/10/10

SOMMET SUR LA PAUVRETÉ
À NEW-YORK...
CÔTÉ
7/9/10

COTE
12/10/10

CÔTÉ
8/2/01

LES ENFANTS SOLDATS
LE MONSIEUR NE VEUT PLUS JOUER!
CÔTÉ 18/9/10

FONCTIONNEMENT DU BOUCLIER SPATIAL ANTIMISSILE
UN GROS MÉCHANT LANCE UN MISSILE
BOUM!
UN SATELLITE AMÉRICAIN REPÈRE LE MISSILE...
Y'A QUELQUE CHOSE DE PAS GENTIL DANS LE CIEL!
LES AMÉRICAINS LANCENT UN ANTIMISSILE...
BOUM!
L'ANTIMISSILE FONCE SUR LE MISSILE...
HELLO BABY!
L'ANTIMISSILE RATE LE MISSILE...
NANANA HEYHEYHEY GOODBYE!
SHIT!
BUSH A L'AIR D'UN CON!
ÇA PARAIT-TU?
CÔTÉ 3/5/01

CÔTÉ
10/8/10

Fédéral

41E CONFÉRENCE DES PREMIERS MINISTRES... LA TABLE EST MISE!
CÔTÉ 9/8/10

CHRÉTIEN ENTARTÉ

MARTIN RÉFLÉCHIT...

POSITION DU BLOC SUR LES FUSIONS

BUREAU DE
L'HONORABLE
JEAN
CHRÉTIEN
CÔTÉ
17/8/0

BIOGRAPHIE D'EVAN BROWN, L'ENTARTEUR DE JEAN CHRÉTIEN
LES PREMIERS SYMPTÔMES SE SONT MANIFESTÉS DÈS LA PETITE ENFANCE...
À LA GARDERIE, C'ÉTAIT ENCORE PIRE...
CHEZ LES SCOUTS, EVAN A EU D'AUTRES SORTES DE PROBLÈMES...
À L'ADOLESCENCE, EVAN A EU BESOIN DE L'AIDE DE SA MÈRE...
LÈVE-TOI, Y'EST 8HRS!
EVAN A MALGRÉ TOUT RÉUSSI À L'UNIVERSITÉ...
SOUHAITONS QUE LA PRISON LUI PERMETTRA DE SE RÉHABILITER!
CÔTÉ 18/5/01

LE BLOC S'INTÉRESSE AUX JEUNES

SONDAGES DÉFAVORABLES... CLARK ENCOURAGÉ!

VOICI LE POÈTE OFFICIEL DU CANADA!

PLAN A
PLAN B
GRRR...
PLAN C
PLAN DAY
CÔTÉ
7/10/0

CE SOIR-LÀ AU SPECTACLE DE DAVID COPPERFIELD...
ET MAINTENANT, JE VAIS FAIRE DISPARAÎTRE QUELQU'UN...
VAS-Y JEAN!
ALLEZ VAS-Y!
VAS-Y JEAN!
CÔTÉ

CÔTÉ
27/10/10

LE BLOC REFUSE TOUTE COALITION ...
DE QUOI AURIONS-NOUS L'AIR?
CÔTÉ 25/8/10

1... 2... 3... GO... PARTEZ!
CÔTÉ
2019/0

DUCEPPE VEUT RÉACTUALISER LA SOUVERAINETÉ...
ROBERT, ES-TU LÀ ?
CÔTÉ 21/12/10

CASSE-NOISETTE
CÔTÉ
1/12/10

LES TROIS TÉNORS
IL EST MINUIT, CHRÉTIEN
C'EST L'HEURE DE LA RETRAITE
CÔTÉ 21/11/0

LES TROIS TÉNORS...
CÔTÉ
29/11/0

À LA RECHERCHE DE L'ÉTOILE SOUVERAINE...
CÔTÉ
16/12/10

CHRÉTIEN A REÇU LES PREMIERS MINISTRES À SOUPER AU 24 SUSSEX...
Y'EN A POUR TOUT LE MONDE!
CÔTÉ 12/9/0

LE RETOUR DE GODZILLA
COTE
19/8/10

LES BLOQUISTES RÉFLÉCHISSENT...
CÔTÉ
30/11/10

COTÉ
1/5/01

CAISSE DE DÉPÔT
CATE
10/5/01

CÔTÉ
1/2/01

Provincial

LES JEUNES LIBÉRAUX VEULENT PLUS DE PLACE POUR L'ANGLAIS À L'ÉCOLE...
C'EST TRÈS BIEN, JEAN-FRANÇOIS !
CAMPUS DU CENTRE
FUCK THE SCHOOL
CÔTÉ 15/8/0

LE QUÉBEC PROFOND
CÔTÉ 15/11/10

ÇA SUFFIT
LE NIAISAGE...
ALLONS-Y !!!
SOUVERAINETÉ
CÔTÉ
5/12/10

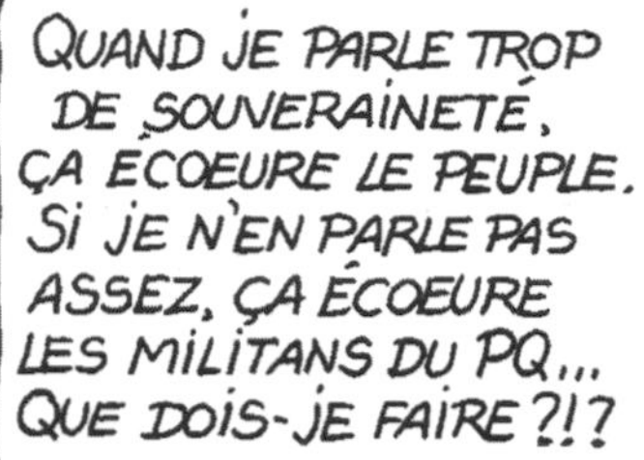

PANNE DE DÉSIR?

TAXE À L'ÉCHEC

BOUCHARD REVIENT!
COTÉ
9/2/01

RAVIVER LA FLAMME SOUVERAINISTE…
FedEx
CÔTÉ
23/01/1

PAULINE MAROIS RÉFLÉCHIT...
CÔTÉ 23/01/1

MICHAUD A RAISON, C'EST JUSTE LES VRAIS QUÉBÉCOIS QUI DEVRAIENT VOTER AU RÉFÉRENDUM!
CÔTÉ 9/1/01

CHAREST POURRAIT TENIR UN RÉFÉRENDUM...
ILS VONT ME RENDRE FOU!!!
CÔTÉ 18/01/1

ENFIN ROI!
CÔTÉ
3/3/01

AI-JE RÉELEMENT BESOIN D'UN BOUFFON?
CÔTÉ 28/2/01

BERNARD LANDRY RÉPOND À VOS QUESTIONS...
QU'ALLEZ-VOUS FAIRE DANS LE DOSSIER DE L'ÉDUCATION?
FAIRE LA PÉDAGOGIE DE LA SOUVERAINETÉ!
LA SANTÉ?
CONVAINCRE DE L'URGENCE DE LA SOUVERAINETÉ!
L'ENVIRONNEMENT?
DÉMONTRER LE RÉCHAUFFEMENT DE LA FERVEUR SOUVERAINISTE!
LE MONDE MUNICIPAL?
FAIRE LA FUSION DES FORCES SOUVERAINISTES!
LA CULTURE?
PEINDRE LE TABLEAU DES ENJEUX DE LA SOUVERAINETÉ!
MERCI, MONSIEUR LANDRY!
DE RIEN, ÇA M'A FAIT SOUVERAINEMENT PLAISIR!
CÔTÉ 21/2/01

GRÂCE À LA RÉFORME, LES ÉLÈVES SONT BEAUCOUP PLUS ÉVEILLÉS !

LEGAULT CONSULTE...
QUE PENSEZ-VOUS DE MA RÉFORME?
B
C
D
B
C

POURRIEZ-VOUS ÊTRE PLUS PRÉCIS!
CÔTÉ 7/12/10

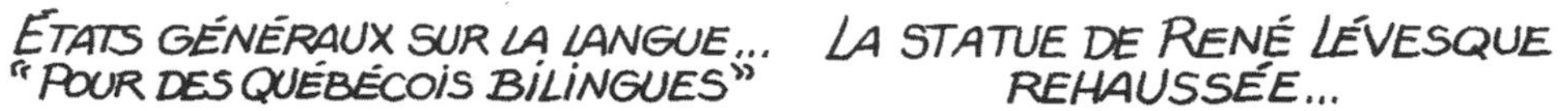

CHAREST EST HEUREUX
D'AVOIR GAGNÉ MERCIER

LANDRY SONNÉ...
AIDEZ-LE!
TIENS!
CÔTÉ
11/4/01

CÔTÉ
5/2/01

Municipal

HAREL NE VEUT PAS DE HAUSSES DE TAXES
SI JE VOIS UNE TAXE, JE VAIS DONNER UN COUP DE VOLANT!
CÔTÉ 5/10/0

Le Québec gagne à voter BLOC
NON AUX FUSIONS FORCÉES
NON AUX FUSIONS FORCÉES
NON AUX FUSIONS FORCÉES
NON AUX FUSIONS FORCÉES
NON AUX FUSIONS FORCÉES
NON AUX FUSIONS
NON AUX FUSIONS
NON
CÔTÉ 20/11/10

NON
NON AUX FUSIONS
TOUCHE PAS À MA
TOUCHE PAS À MA VILLE
NON AUX FUSIONS
NON
NON

NON
NON
CÔTÉ 13/12/10

JE M'EN VAIS!
JE M'EN VAIS...
J'AI DIT :
JE M'EN VAIS!
COTÉ
6/10/0

L'ALLIER RÉFLÉCHIT...

QUÉBEC, NOUVELLE VILLE

BEAUCOUP D'EMPLOYÉS MUNICIPAUX
NE BOUGERONT PAS

L'ALLIER...

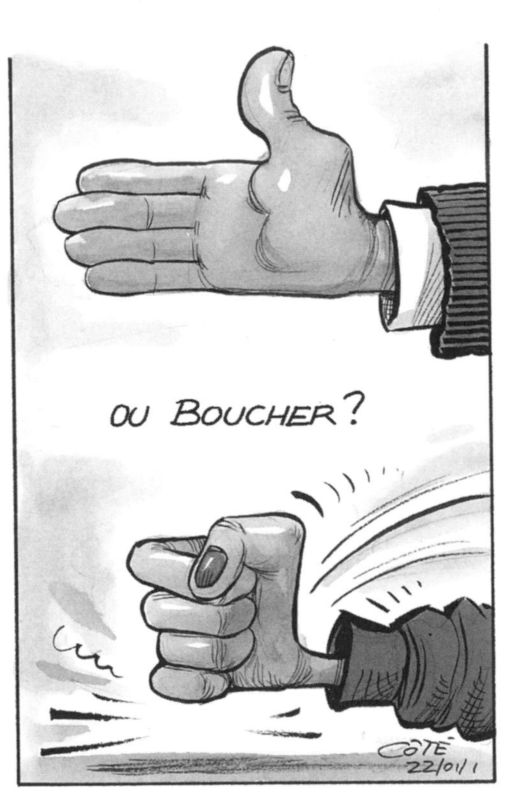

KISS À QUÉBEC
NON AUX FUSIONS
CHECK-ÇA MAN!
CÔTÉ 21/9/10

`A PROPOS DES FUSIONS
C'EST UN ABUS DE POUVOIR!
C'EST DU COMMUNISME!
C'EST UNE DICTATURE!
C'EST UN GÉNOCIDE!
C'EST UNE ERREUR MÉDICALE!
CÔTÉ 24/11/0

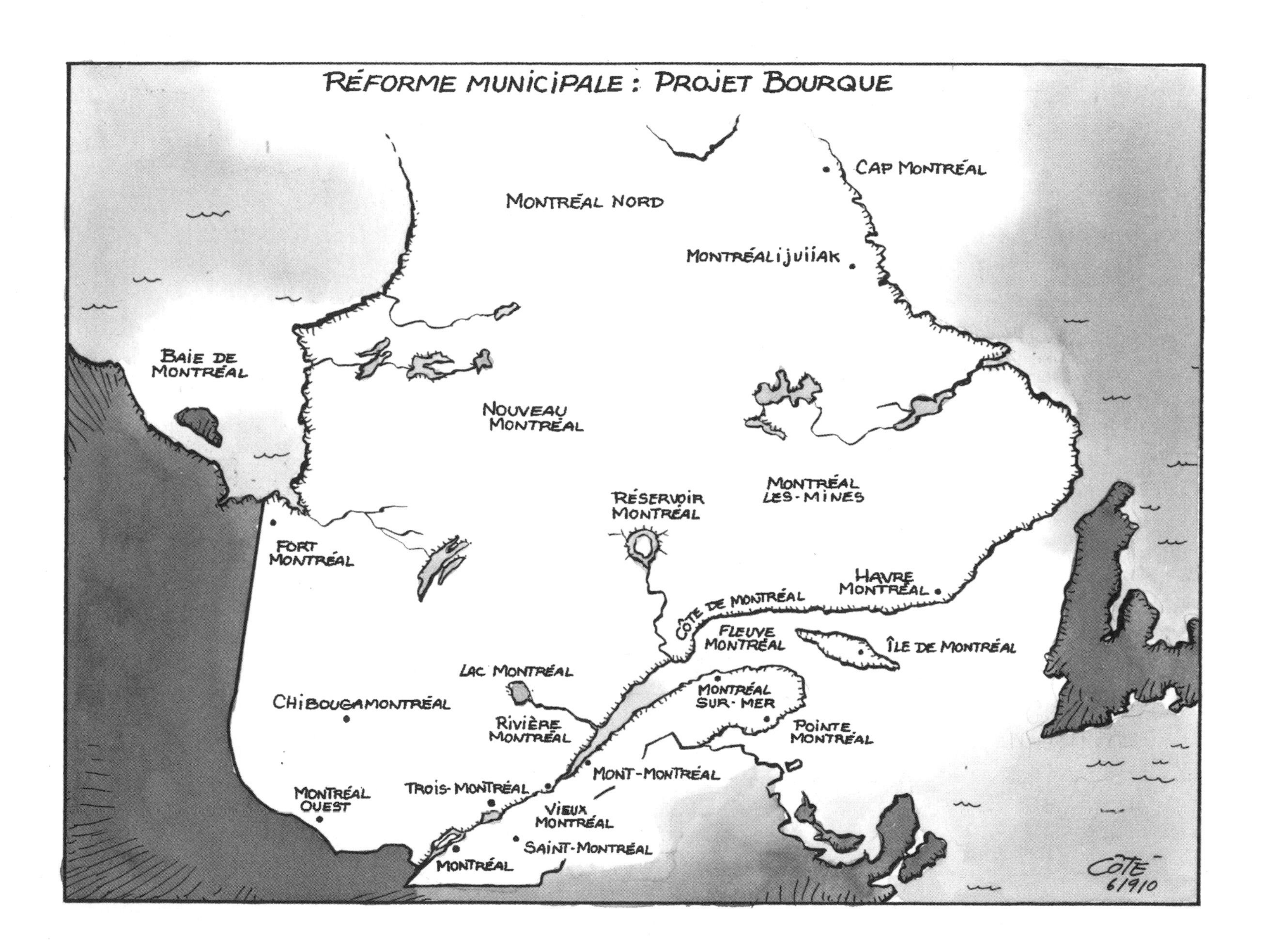
RÉFORME MUNICIPALE : PROJET BOURQUE
CAP MONTRÉAL
MONTRÉAL NORD
MONTRÉALIJUIIAK
BAIE DE MONTRÉAL
NOUVEAU MONTRÉAL
MONTRÉAL LES-MINES
RÉSERVOIR MONTRÉAL
FORT MONTRÉAL
HAVRE MONTRÉAL
CÔTE DE MONTRÉAL
FLEUVE MONTRÉAL
ÎLE DE MONTRÉAL
LAC MONTRÉAL
CHIBOUGAMONTRÉAL
MONTRÉAL SUR-MER
RIVIÈRE MONTRÉAL
POINTE MONTRÉAL
MONT-MONTRÉAL
MONTRÉAL OUEST
TROIS-MONTRÉAL
VIEUX MONTRÉAL
SAINT-MONTRÉAL
MONTRÉAL
CÔTÉ
6/9/10

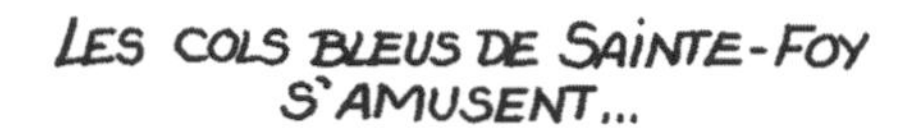
LES COLS BLEUS DE SAINTE-FOY S'AMUSENT...

VOUS POURRIEZ M'AIDER!!!
CÔTÉ 13/12/0

STCUQ
CÔTÉ 30/11/0

À QUÉBEC EN 2098...
CERTAINS ANTHROPOLOGUES PENSENT QU'IL S'AGISSAIT D'UNE SORTE DE POTEAU DE TORTURE!
STCUQ
15
CÔTÉ 5/12/0

PROJET DE RÉFORME DU SYSTÈME DE TRANSPORT À QUÉBEC
LA STCUQP
LA SOCIÉTÉ DE TRANSPORT DE LA COMMUNAUTÉ URBAINE DU QUÉBEC PROFOND
800
CÔTÉ 4/12/10

PAS DE FUSIONS À L'ÎLE D'ORLÉANS

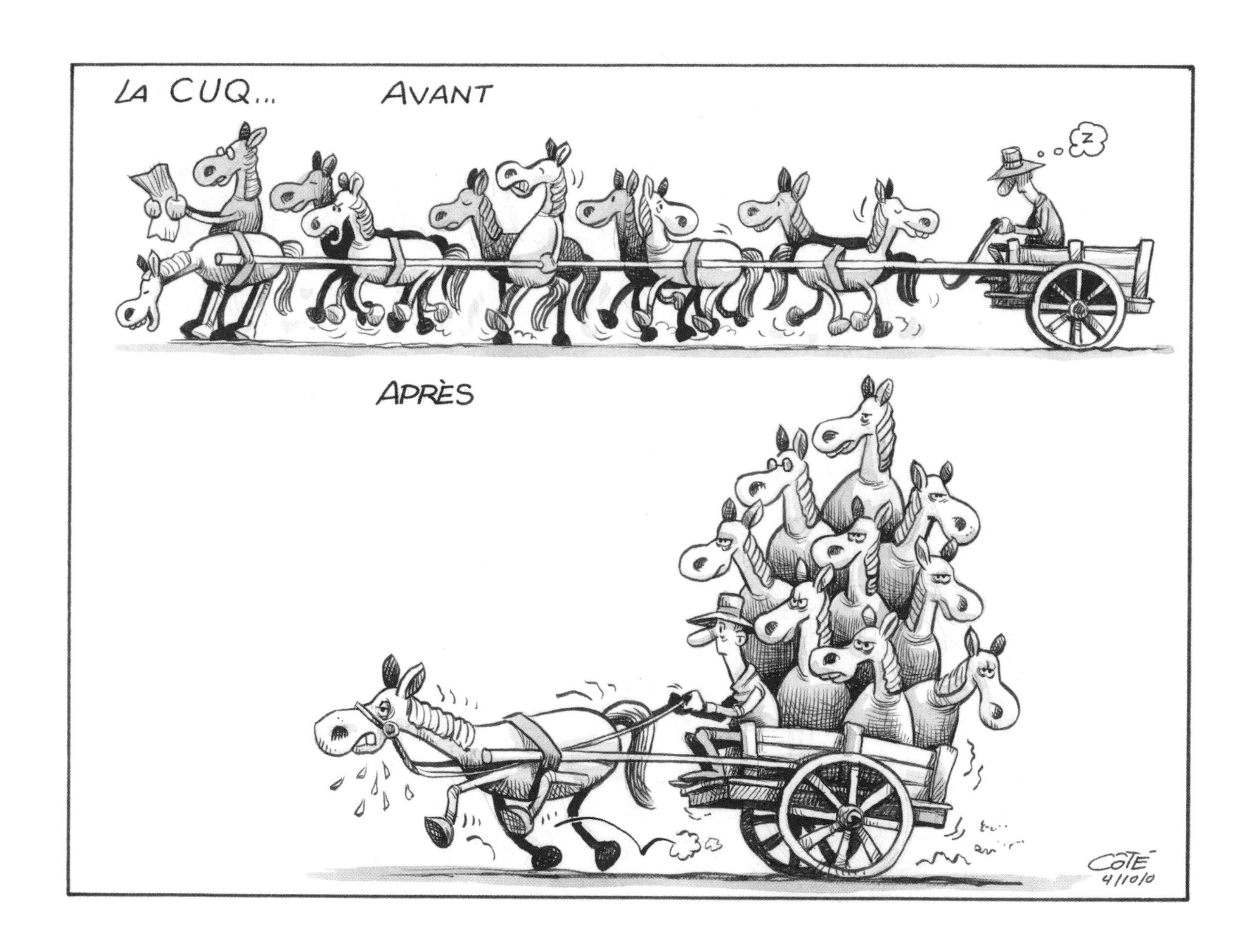
LA CUQ...
AVANT
Z
APRÈS
CÔTÉ
4/10/0

PERREAULT VEUT "COLORER" LA CAPITALE

LA BASE DE VALCARTIER A-T-ELLE POLLUÉ L'EAU DE SHANNON?

TOUT EST EN PLACE !
CÔTÉ
22/2/01

Société

CONGRÈS DES VILLES D'HIVER
ILS SONT BIZARRES LES QUÉBÉCOIS!
J'HAÏS L'HIVER
CÔTÉ 2/2/01

ÉNORME SUCCÈS
POUR L'HÔTEL DE GLACE...
SIMONAK
QUE LE MONDE
EST BIZARRE!
CÔTÉ
9/1/01

VIVE LA RELÂCHE ...
MOI, JE FAIS DU SNOW, TOI, MAN, QU'EST-CE QUE TU FAIS?

MOI, JE JOUE AU HOCKEY!
CÔTÉ 6/3/01

C'EST QUOI LA MONTRÉALISATION?
C'EST QUAND UNE GRÈVE À LA PLACE DES ARTS EST UN DRAME NATIONAL ET QUE 42,000 CHÔMEURS EN GASPÉSIE FONT UNE NOUVELLE RÉGIONALE!
CONCENTRATI DE LA PRESSE
CÔTÉ 16/2/01
JE FAIS LE PLEIN, MONSIEUR?
NON, VOUS FAITES LE VIDE!
CÔTÉ 23/9/0
LES MAISONS DES JEUNES BRANCHÉES SUR INTERNET
TSÉ MAN, CE SERAIT MIEUX DE DÉBRANCHER LES JEUNES ET DE BRANCHER LES VIEUX!
CÔTÉ 11/1/01

LE RETOUR DU MÉDECIN DE FAMILLE
CÔTÉ
5/3/01

SUSPICION DANS LES ÉTABLES...
JE VOUS L'DIS QUE SES PARENTS ÉTAIENT ARGENTINS!
TTE
FLEURETTE
ROSETTE
GEORGETTE
GLORIA
CÔTÉ
16/3/01

PANIQUE AU CEGEP...
AUJOURD'HUI, NOUS ALLONS PARLER DE L'ACCORD DU PARTICIPE PASSÉ!
CÔTÉ 3/2/01

LES TIMBRES NICODERM SERONT PAYÉS PAR LE RÉGIME D'ASSURANCE-MALADIE

LA LOTERIE VIDÉO POUR FINANCER LES SOINS AUX PERSONNES ÂGÉES...

PROGRAMME QUILLES-ÉTUDES

LUTTE À LA PAUVRETÉ

LE RETOUR DE LA BOÎTE À LUNCH

SOS LEÇONS

Y A-T-IL PLUS DE VIOLENCE À L'ÉCOLE ?

APRÈS LA VACHE FOLLE ... LE WAPITI FOU!
CÔTÉ
21/12/0

STCUQ
800
HEUREUSEMENT QUE LA GRÈVE EST FINIE !
CÔTÉ 19/12/0

UNE MÉDECINE À DEUX VITESSES

AVEC LA CARTE D'ASSURANCE-MALADIE...

OU LA CARTE DE CRÉDIT !

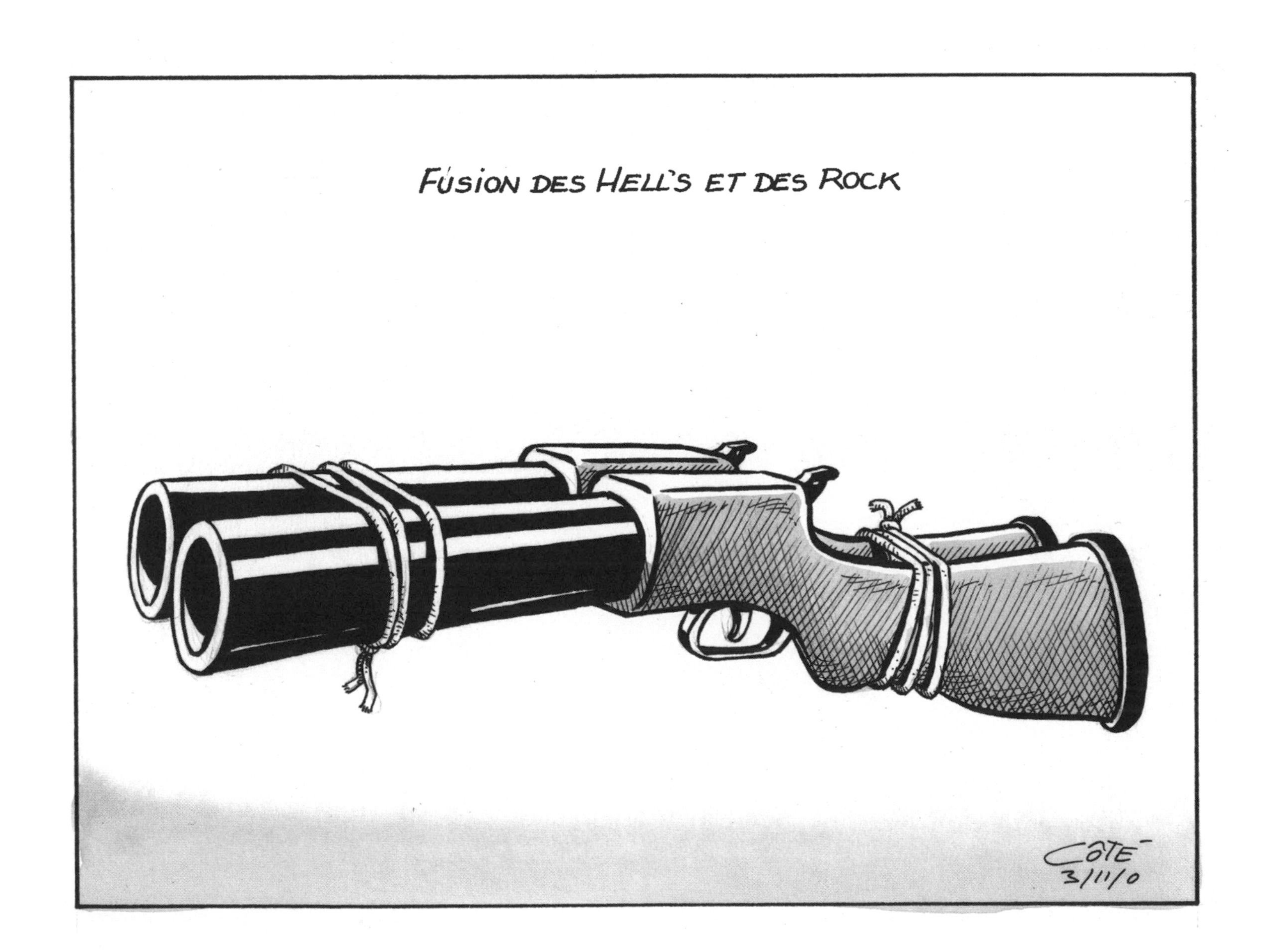
FUSION DES HELL'S ET DES ROCK
CÔTÉ
3/11/0

CONCENTRATION DE LA PRESSE
CÔTÉ
16/12/01

ÉCOLE DE ROCHEBELLE

SOIRÉE D'INFORMATION SUR LE CANNABIS...

JE VOUDRAIS SAVOIR SI JE DOIS PUNIR MON FILS QUAND IL PIQUE DU "POT" DANS LE TIROIR DE MA TABLE DE NUIT ?

LA MARCHE DES FEMMES...
... EST BEN HAUTE !
CÔTÉ 13/10/0

FUMER
PEUT TUER
CÔTÉ

BUSH APPROUVE LA RETRANSMISSION À LA TÉLÉ DE L'EXÉCUTION DE TIMOTHY MC VEIGH...
VEUILLEZ NOTER QUE CETTE EXÉCUTION PEUT ÊTRE REGARDÉE PAR UN PUBLIC DE TOUS ÂGES.
CÔTÉ 5/5/01

MOM RESTERA SEUL EN TÔLE...

800 ARTISTES MANIFESTENT DANS LES RUES DE MONTRÉAL

L'HOMME POSSÈDE À PEINE DEUX FOIS PLUS DE GÈNES QU'UNE MOUCHE...

CEGEP GARNEAU... LES ÉTUDIANTS ÉVALUERONT LES PROFS!
VOUS AVEZ ÉTÉ UNE CLASSE VRAIMENT EXTRAORDINAIRE!
TÊTEUX, ÇA S'ÉCRIT COMMENT?
CÔTÉ 25/9/0

GEL DU SALAIRE MINIMUM
AVANT, J'ÉTAIS SUR LE B.S. !
MAINTENANT, JE TRAVAILLE POUR UN SALAIRE DE MISÈRE...
C'EST TELLEMENT PLUS VALORISANT !
CÔTÉ 23/9/10

NOS SURPLUS ATTEIGNENT 12 MILLIARDS $...
J'ME DEMANDE OÙ ILS PRENNENT TOUT CET ARGENT !
CÔTÉ 22/9/0

LA LUTTE CONTRE LA PAUVRETÉ
27657 00073
CÔTÉ
5/9/10

Nouveau 10 $

Cellulaire
Risques accrus d'accidents

Les Québécoises estiment avoir une belle peau

AU TRAVAIL...
Z
Z
Z

EN GRÈVE...
NON PQ
NON FUSIONS
CÔTÉ 29/8/0

EAU IMPROPRE
À LA CONSOMMATION
Taverne
ici
VOUS NE
RiSQUEZ
Rien
5 à 7
jusqu'à 9 hrs
BINGO
CÔTÉ
28/8/0

L'EMBRYON DE CÉLINE PEUT RESTER CONGELÉ INDÉFINIMENT

LA TERRE SE RÉCHAUFFE PLUS VITE QUE PRÉVU...

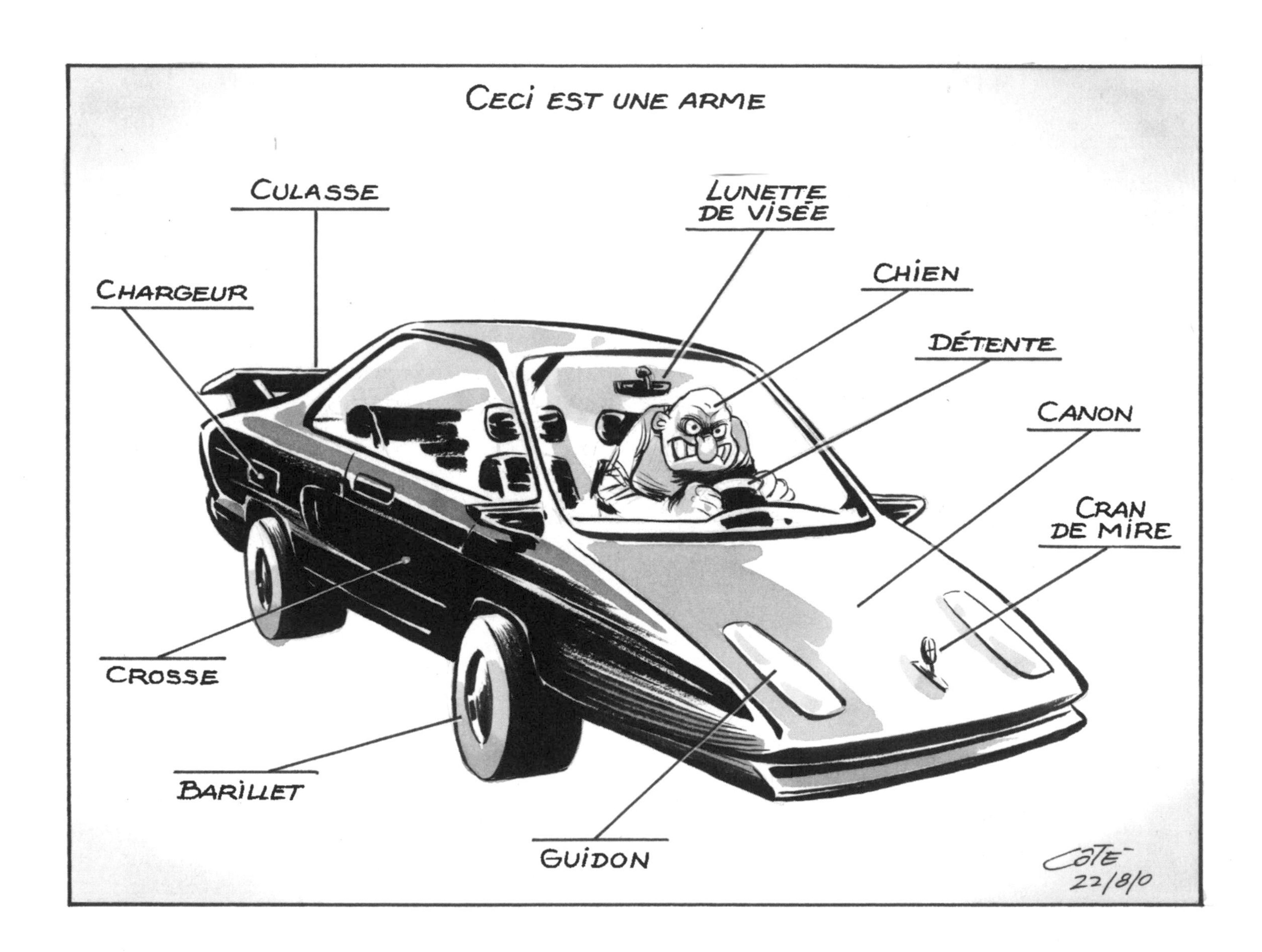
CECI EST UNE ARME
CULASSE
LUNETTE DE VISÉE
CHARGEUR
CHIEN
DÉTENTE
CANON
CRAN DE MIRE
CROSSE
BARILLET
GUIDON
CÔTÉ 22/8/0

UNE 6/49 AVEC ÇA?
NON, MERCI!
UNE 6/49 AVEC ÇA?
NON, MERCI!
UNE 6/49 AVEC ÇA?
NON, MERCI!
UNE 6/49 AVEC ÇA?
NON, MERCI!!!
UNE 6/49 AVEC ÇA?
NON MERCI!!!
UNE 6/49 AVEC ÇA?
OUI, OUI... UNE 6/49... DEUX 6/49... DIX 6/49...
CÔTÉ 11/8/10

LES PARENTS RELUQUENT DU CÔTÉ DES ÉCOLES PRIVÉES...

LES JEUX MONDIAUX DE LA POLICE EN 2005 À QUÉBEC
LE SAUT DE LA CLÔTURE
LE LANCER DES GAZ LACRYMOGÈNES
LE TIR DE BALLES DE PLASTIQUE
PIS LE JEU DU BEIGNE !
CÔTÉ
7/5/01

COTÉ
8/5/01

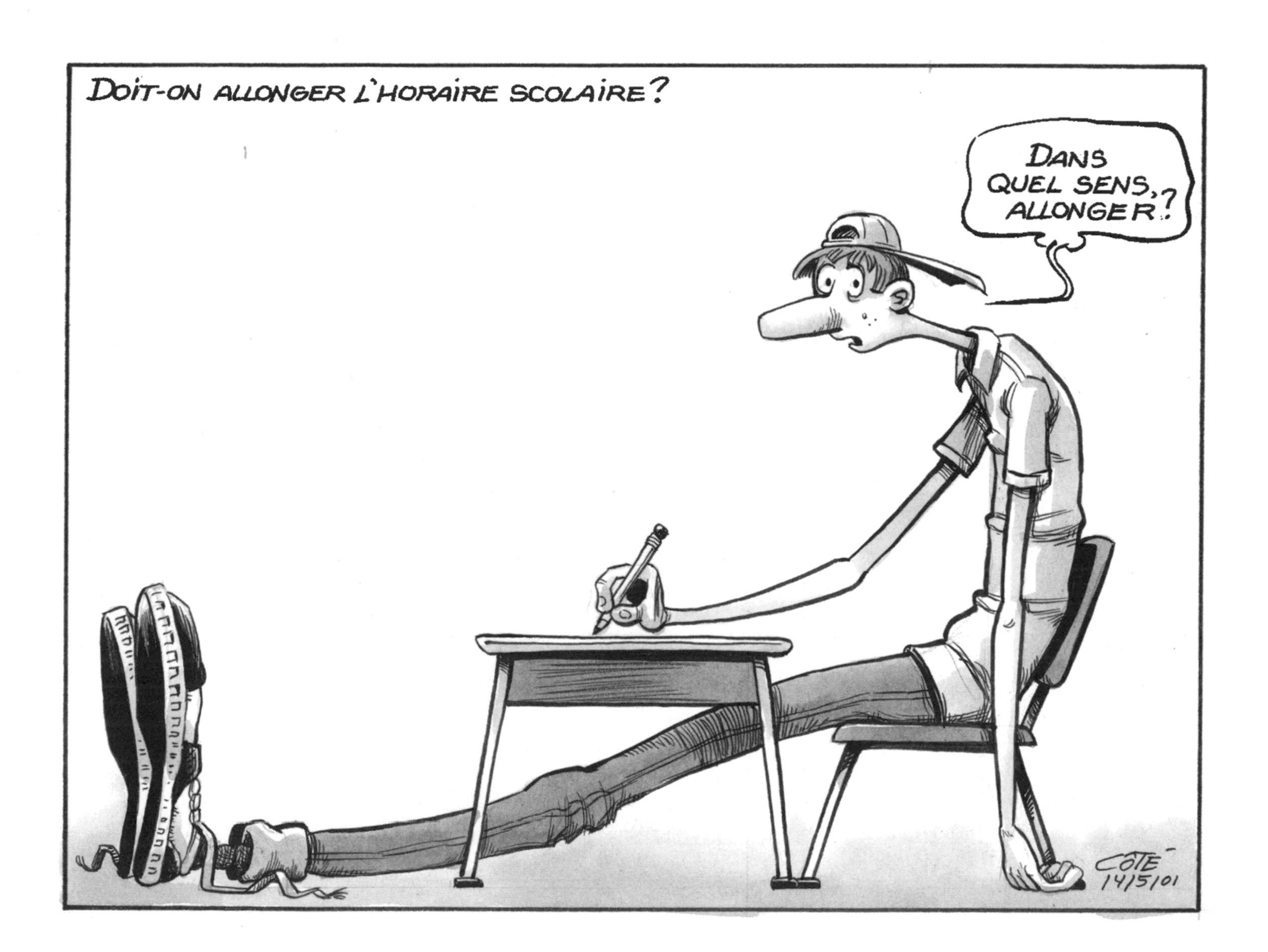
DOIT-ON ALLONGER L'HORAIRE SCOLAIRE?
DANS QUEL SENS, ALLONGER?
CÔTÉ 14/5/01

36 000 TONNES D'ORDINATEURS DANS LES DÉPOTOIRS CANADIENS

UN PILOTE OUBLIE DE DÉPLOYER LE TRAIN D'ATTERRISSAGE

PAS FACILE DE RENCONTRER L'ÂME SOEUR

83.9
CÔTÉ 9/9/0

DOUANES
CANADA
QUELQUE CHOSE À DÉCLARER?
NON, MONSIEUR!
VIRUS DU NIL
CÔTÉ 11/8/0

CONGRÈS INTERNATIONAL DES TERRES HUMIDES
FINALEMENT, QUÉBEC EST UN TRÈS BON CHOIX!
CÔTÉ 9/8/0

BURNT CHURCH
PROBLÈME MORAL CHEZ LES ÉCOLOS

LE RAPPEL DE NOS CERVEAUX...

LA RENTRÉE

C'EST LE RAPPEL DE NOS CERVEAUX!
CÔTÉ 23/8/10

LES GARDIENS DE PRISON MANIFESTENT...

À L'AIDE, LE GARDIEN S'EST ÉCHAPPÉ!
CÔTÉ 10/4/10

BEN COUDONC, LES GASPÉSIENS AUSSI SONT EN VOIE D'EXTINCTION!

Achevé d'imprimer en juillet 2001
sur les presses de
l'Imprimerie Métrolitho
à Sherbrooke,
propriété de Transcontinental